Huis Clos

FichesdeLecture.com

Huis Clos (Fiche de lecture)

1. BIOGRAPHIE DE SARTRE

1905

Naissance le 21 juin à Paris de Jean-Paul-Charles-Eymard Sartre, 13, rue Mignard, dans le 16e, dans un milieu bourgeois.

1906

Le 17 septembre, mort de Jean-Baptiste Sartre, son père. Jusqu'en 1915, Jean-Paul est élevé à Meudon puis à Paris par sa mère ainsi que par ses grands-parents maternels, Charles et Louise Schweitzer.

1908

Naissance de Simone de Beauvoir, sa future compagne.

1912

A l'âge de sept ans à peine, il lit déjà : Flaubert, Voltaire, Corneille, Hugo, Rabelais, etc.

1912 – 1913

Il correspond en vers avec son grand-père et écrit également ses premiers « romans ».

1915

Jean-Paul Sartre entre en sixième au lycée Henry IV où il aura pour camarade Paul-Yves Nizan. Ce dernier restera son ami toute sa vie. Rapidement, il fait aussi la connaissance de Raymond Aron et Maurice Merleau-Ponty.

1917

Remariage de sa mère avec Joseph Mancy, polytechnicien et directeur aux usines Delaunay-Belleville, célèbre pour ses locomotives, ses chaudières pour bateaux, ses voitures...

1917 - 1919

Sartre part ensuite pour La Rochelle rejoindre sa mère juste remariée avec Mr Mancy. Il dira de cette période qu'elle fut la plus pénible de sa vie. Il est en effet un brillant élève, mais il est mal intégré par ses compagnons de classe. Il apprend à se battre.

1920

Il retourne au lycée Henri-IV. Il y retrouve son ami Paul-Yves Nizan. Il lit Dostoïevski et Tolstoï, Giraudoux, Gide, Valéry Larbaud, Paul Morand, Proust, etc.

1923 - 1924

Au lycée Louis-Le-Grand, il est souvent absent. Sartre se prend d'intérêt pour la philosophie.

1924

Il rentre à l'Ecole Normale Supérieure. Parmi ses condisciples : Raymond Aron, Paul-Yves Nizan, Jean Hyppolite, Merleau-Ponty, Pierre Guille, René Maheu.

1926

Il rencontre Simone de Beauvoir. Celle-ci sera sa compagne.

1929

Il est reçu premier à l'agrégation de philosophie. Simone de Beauvoir est deuxième. Il accomplit son service militaire cette année-là.

1931

Il est professeur de philosophie au Havre. Il lit Kafka, des auteurs américains, des romans policiers.

1933

Départ pour Berlin. Il y étudie Heidegger et Husserl.

1934 - 1936

Expérience d'un ménage à trois avec Olga Korakiewicz.

1935

Retour en France.

1936

Paul Nizan lors d'un voyage en mer

Les essais philosophiques « La transcendance de l'Ego » et « L'imaginaire » sont publiés cette année-là, amenant en France l'existentialisme et la phénoménologie d'origine allemande.

Voyages en Italie.

Il écrit « Erostrate ».

1938

Publication de « La Nausée ».

1939

« Le Mur » est publié et donne à Jean-Paul Sartre l'image d'un provocateur. L'essai philosophique « Esquisse d'une théorie des émotions » est publié.

1940

Il est mobilisé comme simple soldat. Il est fait prisonnier en Lorraine. Son ami, Paul-Yves Nizan est tué au front.

1941

En se faisant passer pour un civil, il s'évade du camp de Trèves en mars 1941. Il se joint au mouvement de la Résistance. Il reprend l'enseignement.

1943

Publication de « Les Mouches » et de « l'Etre et le Néant ». « Les Mouches » est joué pour la première fois.

1944

Sous l'Occupation, publication de « Huis Clos » qui est joué la même année pour la première fois, devant un public parisien.

1945

Il se consacre à l'écriture et fonde, avec Simone de Beauvoir, sa compagne, et Maurice Merleau-Ponty, la revue « Les Temps Modernes », politiquement très engagée. Avec Albert Camus, il est alors porte drapeau d'un nouveau type d'écrivains provocateurs.

Publication de « L'Age de raison » et « Le Sursis », mais également des deux premiers tomes d'un cycle romanesque « Chemins de la liberté ».

Il quitte l'enseignement.

1946

« Réflexions sur la question juive »

« L'existentialisme est un humanisme »

« Morts sans sépulture »

« La putain respectueuse »

Parmi ces ouvrages, ce sont surtout les deux derniers qui apportent succès et scandale.

Ses relations avec les communistes sont tendues.

1947

Publication de l'essai « Baudelaire », du premier volume de la série « Les Situations ». Il écrit le scénario de « Les jeux sont faits ».

1947 – 1976

« Situation I à X »

1948

Parution de « L'Engrenage ».

Publication des « Mains sales » qui est joué cette même année.

L'œuvre de Sartre est pointée du doigt par le Vatican.

Il participe au journal « La Gauche ».

1949

Publication du troisième tome de son cycle romanesque commencé en 1945 : « La mort dans l'âme ».

1950

Sartre se rapproche du Parti communiste dont il est un compagnon de route critique.

1951

Publication par Albert Camus de « L'Homme Révolté » rapidement critiqué par les existentialistes et par la revue « Les temps Modernes » dirigée par Sartre. Publication de « Le diable et le Bon Dieu » et gros succès.

1952

Rupture définitive entre Camus et Sartre qui se rallie davantage aux communistes. Il voyage d'ailleurs en Chine, en URSS, au Brésil, pour soutenir les communistes. Publication de « Saint-Genet, comédien et martyr ».

1954

Parution de « L'Affaire Henri Martin ».

Rupture avec Merleau-Ponty.

Adaptation théâtrale de « Kean ».

1956

Publication de « Nekrassov ».

1957

Jean-Paul Sartre travaille à « La Critique de la raison dialectique ». Publication de « Question de méthode ». Plusieurs fois, il s'élève contre la torture et l'horreur en Algérie. Il participe aussi activement à la lutte contre le colonialisme.

1958

Publication de la « Critique de la raison dialectique » et « Les Séquestrés d'Altona ».

1959

Gros succès avec « Les Séquestrés d'Altona ».

1963

Publication de « Les Mots ».

1964

Il refuse le prix Nobel de littérature

1968

Sartre prend position en faveur des étudiants de mai 68 avec qui il sympathise.

Il rompt totalement avec le parti communiste, lors de l'invasion de la Tchécoslovaquie.

1971 – 1972

Il se rapproche de la psychanalyse avec « l'Idiot de la famille », un ouvrage sur Flaubert. Il fonde l'agence de presse « Libération ».

1973

Il est directeur du journal « Libération ». Il est atteint de cécité et de problèmes de santé.

1980

Il meurt le 15 avril à l'Hôpital Broussais.

Ses funérailles ont lieu le 20 avril et rassemblent un immense cortège de 50 000 personnes. Il est enterré au cimetière du Montparnasse.

1983

Parution de «Cinq des Carnets de la drôle de guerre», «Carnets de la drôle de guerre», «Cahiers pour une morale», «Lettre au Castor et à plusieurs autres»

1989

Parution de « Vérité et Existence »

2. PRINCIPALES OEUVRES DE SARTRE

LES PRINCIPALES ŒUVRES DE SARTRE

ROMAN

La Nausée (1938)

Les chemins de la liberté I : L'Age de raison (1945).

Les chemins de la liberté II : Le Sursis (1945).

Les chemins de la liberté III : La mort dans l'âme (1949).

NOUVELLE

Le Mur (1939)

THEATRE

Les Mouches (1943)

Huis clos (1944)

La putain respectueuse (1946)

Morts sans sépulture (1946)

Les Mains sales (1948)

Le Diable et le Bon Dieu (1951)

Kean (1954)

Nekrassov (1956)

Les Séquestrés d'Altona (1960)

LITTERATURE

Baudelaire (1947)

Situations I à X (1947-1976)

Saint-Genet, comédien et martyr (1952)

Les Mots (1963)

L'Idiot de la famille (1972)

Carnets de la drôle de guerre (1983) (écrits en 1939 – 1940)

PHILOSOPHIE

L'Imaginaire (1936)

L'Etre et le Néant (1943)

Réflexions sur la question juive (1946)

L'existentialisme est un humanisme (1946)

Question de méthode (1957)

Critique de la raison dialectique (1960)

Vérité et Existence (1989)

3. RÉSUMÉ DE "HUIS CLOS" DE SARTRE

SCENE 1

Garcin est introduit par un garçon de service dans un salon style Second Empire. Garcin est mort. Il s'étonne de ne pas voir d'instruments de torture. Le garçon lui renseigne toutes les règles à observer dans cet hôtel particulier. Dorénavant, il ne pourra ni sortir de sa chambre, ni appeler avec la sonnette. Pas de miroir, pas de fenêtre, pas de livre, pas de lit. Pas d'espoir de sommeil. Seulement trois canapés, un bronze sur la cheminée, et un coupe-papier. Juste la solitude. Le garçon s'en va.

SCENE 2

Garcin se retrouve seul dans la salle. Il essaie la sonnette, mais elle ne sonne pas. Il tente d'ouvrir la porte, mais elle résiste. Il appelle et frappe sur la porte maintes fois, mais personne ne répond. Quand il va se rasseoir, la porte s'ouvre et Inès, une jeune femme, rentre avec le garçon.

SCENE 3

Inès Serrano s'avance. Elle demande à Garcin où se trouve Florence mais Garcin ne le sait pas. Inès prend Garcin pour un bourreau de l'enfer. Celui-ci lui décline son identité : « Joseph Garcin, publiciste et homme de lettre. » Inès se présente sèchement. Garcin lui montre l'absence de glace, la porte verrouillée, et propose de « conserver entre eux une extrême politesse ». Mais la peur qui le tenaille lui donne un tic que ne supporte pas Inès. Tous deux attendent. Silence. Le tic de Garcin reprend. Il enfuit son visage entre ses mains. Entrent alors le garçon et Estelle.

SCENE 4

À son tour, Estelle, une autre jeune femme, est introduite dans la pièce. Garcin la rassure rapidement. Elle se tracasse sur des détails : les canapés ne lui conviennent guère. Elle se présente : Estelle Rigault. Le garçon sort. Il ne reviendra plus.

SCENE 5

Inès, Garcin et Estelle se retrouvent entre eux. Alors qu'Inès complimente Estelle, cette dernière s'intéresse davantage à Garcin. Elle préfère utiliser le terme « absent » au terme « mort ». Quant à Garcin, il évoque sa vie bouleversée, ses camarades de travail. Lorsqu'il désire retirer son veston, Estelle clame son « horreur des hommes en bras de chemise ». Inès ajoute qu'elle « n'aime pas beaucoup les hommes ». Finalement, les canapés, le bronze, la chaleur, le salon du second Empire, leur réunion à trois, tout les interpelle.

Inès les persuade d'avouer leur faute...

Estelle : « J'étais orpheline et pauvre. (...) Un vieil ami de mon père ma demandé ma main. Il était riche et bon, j'ai accepté. (...) Il y a deux ans, j'ai rencontré celui que je devais aimer. (...) Après cela, j'ai eu ma pneumonie. C'est tout. »

Garcin : « Je dirigeais un journal pacifiste. La guerre éclate. (...) Je me suis croisé les bras et ils m'ont fusillé.

Inès conclut : « Il n'y a pas de torture physique, n'est-ce pas ? Et cependant, nous sommes en enfer. (...) Nous resterons jusqu'au bout ensemble. (...) Le bourreau c'est chacun de nous pour les deux autres. »

Tous proposent de se taire pour épargner les autres : Garcin va à son canapé, met sa tête dans ses mains et s'enferme dans le silence ; Inès chante pour elle seule ; Estelle se maquille.

Mais, Estelle a besoin d'un miroir pour se voir et a tôt fait d'engager une nouvelle conversation avec Inès. Inès s'attache alors à la séduire, lui proposant de se regarder dans ses yeux pour se maquiller, lui demandant pour la tutoyer, la complimentant sur sa beauté. Estelle préférerait les égards de Garcin. Lui n'a rien perdu de leur dialogue et brusquement, il se relève pour leur supplier à nouveau de « se rasseoir bien tranquillement », de « fermer les yeux » et « d'oublier la présence des autres ».

Inès ne tient plus. « Votre silence me crie dans les oreilles. (...) Arrêtez-vous votre pensée ? Je l'entends, elle fait tic tac, comme un réveil, et je sais que vous entendez la mienne. (...) Pas de ça ! Je veux choisir mon enfer ; je veux vous regarder de tous mes yeux et lutter à visage découvert. »

Garcin renchérit : « S'ils m'avait logé avec des hommes... les hommes savent se taire. Mais il ne faut pas trop demander. (...) Bah ! Mettons-nous à l'aise. (...) De la politesse, pourquoi ? Des cérémonies, pourquoi ? Entre nous ! Tout à l'heure nous serons nus comme des vers. (...) Il faudra que nous allions jusqu'au bout. Nus comme des vers : je veux savoir à qui j'ai affaire. »

Dès lors, chacun confesse son existence... Garcin a déserté et a torturé sa femme. Il ne regrette pas. Inès avait une relation avec Florence, la femme de son cousin. Ensemble, elles l'ont tué puis, elles se sont suicidées au gaz. Inès ajoute : « Moi, je suis méchante : ça veut dire que j'ai besoin de la souffrance des autres pour exister. » Estelle a eu un enfant de son amant. A l'insu de son mari, pour garder sa réputation, elle l'a jeté dans un lac en Suisse. Tous trois sont responsables de la mort de ceux qui les ont aimé.

Garcin propose alors de s'aider les uns les autres. Inès refuse mais accepterait un compromis qui lui céderait Estelle. Garcin lui réplique : « Laissez tomber, Inès. Ouvrez les mains, lâchez prise. Sinon vous ferez notre malheur à nous trois. » Inès rejette cette idée. Dès lors, Estelle cherche du réconfort chez Garcin... En fait, Inès est attirée par Estelle, Estelle par Garcin et Garcin par Inès. Un triangle infernal où personne ne sera jamais satisfait.

Par ailleurs, les souvenirs et les visions qu'ils ont de la vie sur terre les bouleversent encore davantage. Ainsi, Inès voit que son lit est occupé par un nouveau couple ; Estelle voit que Pierre son vieil amant est en train de danser avec Olga, sa meilleure copine...

Tourmentée par cette vision, et par l'acharnement d'Inès, Estelle se réfugie dans les bras de Garcin. En échange, elle aura confiance en lui qui avoue s'être enfoui lâchement. Ce qui importe, c'est qu'il embrasse bien. Mais, Inès fait ensuite preuve d'une grande lucidité dirigeant la conversation vers la femme de Garcin, morte de chagrin. Garcin sombre alors à nouveau dans ses idées noires, dans ses remords, blessé par les dires de ses anciens camarades qui le prennent pour un lâche. Estelle d'abord désireuse de ses caresses, ne sachant plus que faire, oscille également dans sa conduite envers Garcin.

Dégoûté par les deux femmes, et par sa lâcheté, Garcin supplie l'Enfer de lui infliger des souffrances physiques : « Plutôt cent morsures, plutôt le fouet, le vitriol, que cette souffrance de tête, ce fantôme de souffrance, qui frôle, qui caresse et qui ne fait jamais assez mal. » La porte s'ouvre. Il reste en prétextant qu'il ne veut pas laisser triompher Inès. Il veut rester pour la convaincre, mais en vain. C'est alors qu'Estelle lui dit : « Embrasse-moi, tu l'entendra chanter. » Cependant, s'offrir l'un à l'autre ne peut se faire sans le regard malsain d'Inès. Garcin abandonne : « Ils avaient prévu que je me tiendrais devant cette cheminée, pressant ma main sur ce bronze, avec tous ces regards sur moi Tous ces regards qui me mangent... Ha ! Vous n'êtes que deux ? Je vous croyais beaucoup plus nombreuses. Alors, c'est ça l'enfer. Je n'aurais jamais cru... Vous vous rappelez : le soufre, le bûcher, le gril... Ah ! Quelle plaisanterie. Pas besoin de gril : l'enfer, c'est les Autres. »

Estelle tente de tuer Inès avec le coupe-papier, ce qui lui fait prendre conscience de l'absurdité de son geste. Inès lui expliquant : « Morte ! Morte ! Morte ! Ni le couteau, ni le poison, ni la corde. C'est déjà fait, comprends-tu ? Et nous sommes ensemble pour toujours. » Tous cessent de rire. Garcin ajoute : « Pour toujours ». La pièce se termine avec les paroles de Garcin : « Eh bien, continuons. »

4. ANALYSE ET FICHE DE LECTURE (1/2) DE "HUIS CLOS"

Huis Clos paraît sous l'Occupation, en 1944. Il est clair que la cruauté infernale de la guerre ont eu une forte influence sur les thèmes abordés dans Huis Clos : la difficulté de communication entre les classes sociales, le pacifisme, le problème du destin, le langage, le devoir d'être responsable envers soi-même et envers les autres...« Les Autres... » En effet, le premier titre de « Huis Clos » fut « Les Autres ».

PREAMBULE : NOTIONS FONDAMENTALES DE SARTRE

SUJET – OBJET

Un homme, contrairement à un objet, a conscience de son existence. L'objet est en-soi, dit Sartre. L'homme, par contre, est capable de penser le monde qui l'entoure, de juger les autres et lui-même. L'homme est pour-soi, dit Sartre. Si l'homme existait seul, il serait totalement libre. A plusieurs, il faut tenir compte également de la liberté des autres qui heurte la mienne. L'autre me pensant, me jugeant, me réduit à l'état d'objet (en-soi), et non de sujet (pour-soi). Je suis donc à la fois sujet et objet. Quand je juge l'autre, je fait de lui mon objet ; de même, quand l'autre me juge, il fait de moi son objet. Et si je me pense, si je me juge, le jugement de l'autre sur ma personne influencera mon propre jugement sur moi-même. Bref, l'homme étant à la fois sujet et objet, il lui faut passer par l'autre pour se connaître lui-même. Chaque être humain dépend de l'autre. D'où, les paroles de Sartre : « L'enfer, c'est les Autres. »

Toutes ces notions ressortent bien dans Huis Clos : les trois personnages sont confrontés tantôt à leur propre pensée, tantôt à celle de ceux restés sur la terre, tantôt à celle des deux autres. Même le silence est impossible car la pensée dans autres pèse...

En témoigne, à la scène 5, les dires de Garcin qui n'arrive plus à garder son silence :

« J'avais beau m'enfoncer les doigts dans les oreilles, vous me bavardiez dans la tête. Allez-vous me laisser, à présent ? (...) Vous ne voyez donc pas où nous allons. Mais taisez-vous ! Nous allons nous rasseoir bien tranquillement, nous fermons les yeux et chacun tâchera d'oublier la présence des autres. »

Et les paroles d'Inès : « Votre silence me crie dans les oreilles. Vous pouvez vous clouer la bouche, vous pouvez vous couper la langue, est-ce que vous vous empêcherez d'exister ? Arrêtez-vous votre pensée ? Je l'entends, elle fait tic tac, comme un réveil, et je sais que vous entendez la mienne. Vous avez beau vous recogner sur votre canapé, vous êtes partout, les sons m'arrivent souillés parce que vous les avez entendus au passage. (...) Pas de ça ! (...) »

Themes Centraux De Huis Clos

1) Le Miroir

L'absence de miroir ou de glace dans la pièce trouble les personnages. En effet, le miroir permet à chacun de se regarder, donc, d'être à la fois sujet-regardant et objet-regardé.

Sur terre, Estelle avait beaucoup de glaces dans sa chambre, un grand réconfort...

Estelle confie : « Quand je parlais, je m'arrangeais pour qu'il y en ait une où je puisse me regarder. (...) Je me voyais comme les gens me voyaient. »

Les yeux d'Inès comme miroir ? Inès lui dit : « Aucun miroir ne sera plus fidèle. (...) Hein ? Si le miroir se mettait à mentir ? (...) » Estelle ne sera jamais complètement satisfaite. Elle veut se juger elle-même, par elle-même.

L'homme a besoin de se penser, de se connaître par lui-même aussi, sans pour autant recourir au regard des autres.

2) Le Trio

Inspiration : L'échec du trio dont Sartre fit partie avec Simone de Beauvoir et la jeune Olga, lui fit comprendre combien cette forme de rapport est conflictuelle entre les êtres humains.

Inspiration : Les relations difficiles avec ses camarades de classe, surtout à La Rochelle, entre 1917 et 1919, ont très probablement contribué à cette faculté d'illustrer l'incommunicabilité et les rapports difficiles entre les hommes.

Ce trio est la clef de Huis Clos. Inès est attirée par Estelle. Estelle par Garcin. Garcin par Inès. Un triangle infernal où personne ne sera jamais satisfait. Trois personnages bien différents. Joseph Garcin, journaliste, fusillé pour sa fidélité au pacifisme. Il se veut comme un héros. Inès Serrano, lesbienne, employée des Postes. Elle a fit voler en éclat le couple de sa meilleure amie. Elle est morte asphyxiée par le gaz. Estelle Rigault, noble, femme d'un vieil homme riche. Elle a été la maîtresse d'un jeune homme et a commis le meurtre d'un enfant. Elle est morte d'une pneumonie.

Dans Huis Clos, Sartre illustre parfaitement les types de relations possibles entre les êtres humains à travers les rapports qu'entretiennent Garcin, Inès et Estelle.

* L'amour

La relation Estelle – Garcin

Estelle et Garcin désirent s'unir, s'aimer de sujet à sujet. Ceci a pour but d'oublier l'enfer, l'éternité, le délit perpétré sur terre, la situation vécue pour Estelle, la lâcheté pour Garcin. Ce subterfuge est vain, d'autant plus que Inès, par son regard enflammé de jalousie, les réduit tout deux à l'état d'objet. Sartre explique que ceci suffit à provoquer chez chacun des deux amants une objectivation de lui-même et de l'autre. Or, on ne peut s'aimer d'objet à objet, mais de sujet à sujet. Voire de sujet à objet, dans les cas de sadisme ou de masochisme.

Jamais deux d'entre eux ne pourront se lier en dehors ou contre le troisième.

Garcin : « Laisse-moi. Elle est entre nous. Je ne peux pas t'aimer quand elle me voit. »

La relation Inès – Estelle

Inès tente de séduire Estelle. Celle-ci préférerait les égards de Garcin, et, au contraire d'Inès, elle manifeste surtout son désarroi face à la présence de celui-ci. Sartre écrit d'ailleurs qu'Estelle « se tourne vers Garcin comme pour l'appeler à l'aide ». Par ailleurs

Ce qui rend plus ambigu encore cette relation, c'est l'homosexualité d'Inès. Même sans Garcin, une relation homosexuelle refroidirait Estelle.

Le trio parfait ?

Jamais les trois ne pourront s'accorder ensemble. En effet, pour former une relation à trois qui soit parfaite, il faut accepter de se découvrir de biais, de se dévoiler

totalement, d'être en harmonie avec soi-même, pour s'offrir aux deux autres. Or, chacun est marqué par son propre passé, par sa propre mort, par sa peur.

Garcin : « Nous nous courrons après comme des chevaux de bois, sans jamais nous rejoindre. »

L'espoir d'une harmonie dans leur conduite, entre eux, est très mince...

Garcin (scène 5): «Inès, ils ont embrouillé tous les fils. Si vous faites le moindre geste, si vous levez la main pour vous éventer, Estelle et moi nous sentons la secousse. Aucun de nous ne peut se sauver seul; il faut que nous nous perdions ensemble ou que nous nous tirions d'affaire ensemble. Choisissez. (...)»

Ils sont inséparables...

Inès (scène 5, devant la porte ouverte) : « Alors ? Lequel ? Lequel des trois ? La voie est libre, qui nous retient ? Ha ! C'est à mourir de rire ! Nous sommes inséparables. »

* La haine

C'est par la haine qu'Estelle tente de se débarrasser d'Inès. Ainsi, elle pourrait se lier à Garcin, et leur amour serait dispensé du regard d'un tiers. C'est aussi un échec. L'autre est trop fort pour moi, il est sujet et me domine. Je me sens objet face à lui. C'est pour cela que j'use de la haine pour me défendre. Cela ne me permet pas à moi, nécessairement, de retrouver mon statut de sujet. Tuer Inès n'est pas une solution.

* L'indifférence

Au début de la scène 5, Garcin décide de se taire sur son canapé. Mais, il se retrouve confronté tantôt à sa propre pensée, tantôt à celle des deux femmes. Leur présence le hante. Il sait qu'elles pensent. Il sait aussi qu'elles savent qu'il pense. Il est perdu dans sa pensée, perd son statut de sujet, car toutes deux le pensent. Il éprouve son objectivation. Il la refuse et brusquement reparle.

Quant aux femmes, elles savent qu'il pense : dès lors, un amour entre elles deux comme le désire Inès est impossible, étant donné la présence d'un tiers, Garcin.

Jamais les trois ne pourront se plonger dans l'indifférence isolément.

Inès (scène 5) : « Ah ! Oublier. (...) Je vous sens jusque dans mes os. Votre silence me crie dans les oreilles. Vous pouvez vous clouer la bouche, vous pouvez vous couper la langue, est-ce que vous vous empêcherez d'exister ? Arrêtez-vous votre pensée ? Je l'entends... (...) »

Ni la haine, ni l'amour, ni l'indifférence ne permettent d'oublier la présence des autres, leur pensée, leur jugement, leur supériorité, leur regard, leur malédiction... Sartre l'a bien montré par ce choix judicieux du trio.

3) La Sequestration

Inspiration : Son emprisonnement en Lorraine au début de la guerre.

La séquestration mène l'homme à se retrouver avec lui-même. Dans Huis Clos, les séquestrés sont ramenés violement sur eux-mêmes.

La séquestration implique un condamné et un gardien de prison, un incarcéré et un surveillant, un dominant et un dominé. Le prisonnier se sent réduit dans sa liberté, se sent également réduit à l'état d'objet, s'enlise dans l'asservissement.

La séquestration efface les marques sociales. Garcin qui a proposé de garder une extrême politesse dans la scène 3, retire ses paroles dans la scène 5.

Il est clair que la séquestration de trois personnes, dans un même endroit, pour l'éternité, rend plus lourde l'atmosphère. Tout est épié, pensé par l'autre.

A la scène 3, Inès qui pourtant vient à peine d'arriver s'exclame contre la bouche de Garcin qui a un tic insupportable. Et pourtant, il ne sont encore que deux...

4) La Mort-Vivante, La Vie Dans L'au-Dela, Le Probleme Du Destin

Inspiration : L'expérience rude et cruelle de la guerre. La mort de son ami Paul-Yves Nizan. La mort de son père peu après la naissance, terrassé par une fièvre asiatique. Son désir dès le plus jeune âge de rédiger une œuvre posthume le rendant célèbre, l'a porté à s'intéresser toujours plus au thème de la mort.

5) La Lachete, Le Mensonge, La Mauvaise Foi

Durant toute la scène 5, Garcin est tourmenté par cette image de lâche qui lui colle à la peau. Surtout à la fin lorsqu'il raconte qu'il s'est enfoui pour Mexico où il voulait ouvrir un journal pacifiste, qu'il a pris le train et qu'on l'a pincé à la frontière. Il s'interroge sur cette lâcheté dont il ne veut pas. Il cherche à se rassurer mais en vain.

Il est clair que la conduite de Garcin est facile à identifier comme un acte lâche – et encore car il s'est impliqué jusqu'au bout dans son idée de pacifiste, ne désirant pas combattre. La question est en réalité de s'entendre sur la signification du terme pacifiste. Un pur pacifiste se doit-il de défendre son pays contre des agresseurs, des rebelles, des guerriers ? Ou se doit-il de crier la paix, de refuser la guerre et de fuir s'il le faut en dernier recours face à l'ennemi, face à la mort ?

Dans L'Existentialisme est un humanisme, Sartre écrit : « Ce qui fait la lâcheté, c'est l'acte de renoncer ou de céder, un tempérament ce n'est pas un acte ; le lâche est défini à partir de l'acte qu'il fait. »

Selon Sartre, il arrive que l'homme soit lâche envers les autres, mais également envers lui-même. C'est le cas, quand on essaie de se donner bonne conscience pour un acte inexcusable. En ce sens, l'homme se fuit lui-même, par mauvaise foi, n'hésitant pas à entraîner les autres avec lui. Ainsi, lorsque dans Huis Clos, Estelle et Garcin évoquent la raison pour laquelle ils se trouvent là...

Estelle : « Je n'ai rien à cacher. J'étais orpheline et pauvre, j'élevais mon frère cadet. Un vieil ami de mon père ma demandé ma main. Il était riche et bon, j'ai accepté. Qu'auriez-vous fait à ma place ? Mon frère était malade et sa santé réclamait les plus grands soins. J'ai vécu six ans avec mon mari sans un nuage. Il y a deux ans, j'ai rencontré celui que je devais aimer. Nous nous sommes reconnus tout de suite, il voulait que je parte avec lui et j'ai refusé. Après cela, j'ai eu ma pneumonie. C'est tout. Peut-être qu'on pourrait, au nom de certains principes, me reprocher d'avoir sacrifié ma jeunesse à un vieillard. Croyez-vous que ce soit une faute ? »

Garcin lui répond : « Certainement non. Et vous croyez-vous que ce soit une faute de vivre selon ses principes ? (...) Je dirigeais un journal pacifiste. La guerre éclate. Que faire ? Ils avaient tous les yeux fixés sur moi. (...) Eh bien, j'ai osé. Je me suis croisé les bras et ils m'ont fusillé. Où est la faute ? Où est la faute ? »

Estelle répond : « Il n'y a pas de faute. Vous êtes... »

Inès conclut IRONIQUEMENT : « Un héros... »

On voit comment Estelle se défend. Aussi comment Garcin tire profit de sa réponse en faveur d'Estelle pour se défendre lui-même. Egalement comment lui-même se défend. Estelle ne cessera de chercher des excuses pour son mariage de « raison », pour l'adultère, aussi pour l'infanticide (plus loin dans la scène 5) ; Garcin pour la désertion. Tous deux, lâches par excellence, useront de faux-fuyants du type : « Où est la faute ? Qu'auriez-vous fait à ma place ? »

Seule Inès qui comme à son habitude fait preuve d'une grande lucidité ironise la conduite des deux autres. Elle poursuit d'ailleurs avec : « Pour qui jouez-vous la comédie ? Nous sommes entre nous. (...) Nous sommes en enfer, ma petite, il n'y a jamais d'erreur et on ne damne jamais les gens pour rien. (...) Damné, la petite sainte. Damné, le héros sans reproche. (...) »

Certes, Estelle et Garcin usent de nombreux procédés de défenses, pour se rassurer aussi :

- Garcin propose de « garder entre eux la plus extrême politesse ».
- Estelle préconise le mot absent, au lieu de mort. Estelle est offusquée par Garcin quand il veut retirer son veston, par la classe sociale d'Inès. Elle propose : « Est-ce qu'il ne vaut pas mieux croire que nous sommes là par erreur ? » Elle prétend : « Je ne peux pas supporter qu'on attende quelque chose de moi. Ça me donne tout de suite envie de faire le contraire. » C'est en voulant tuer Inès qu'elle se rend compte de la réalité, que tous ses caprices sont inutiles.

Rapidement, la lucidité, la franchise, la familiarité d'Inès qui veut les tutoyer, tout cela les met à nu. D'ailleurs Garcin s'en rend compte et, après s'être remis à parler, s'adressant à Estelle : « Bah ! Mettons-nous à l'aise. J'aimais beaucoup les femmes, sais-tu ? (...) Mets-toi donc à l'aise, nous n'avons plus rien à perdre. De la politesse, pourquoi ? Des cérémonies, pourquoi ? Entre nous ! (...) Nus comme des vers, je veux savoir à qui j'ai affaire. (...) »

A l'aide de ce trio, du tempérament de Garcin, de la personnalité d'Estelle, du répondant d'Inès, Sartre met en exergue la mauvaise foi, le jeu faussé des sentiments, les pièges sociaux, les mensonges qui permettent aux hommes de se sauver, comment chacun peut mentir son voisin et se mentir à soi-même...

6) La Vulnerabilite

Dialogue entre Inès et Garcin à la scène 5 :

Inès : « (...) Pourquoi souriez-vous ? »
Garcin : « Parce ce que moi, je ne suis pas vulnérable. »
Inès : « C'est à voir. (...) »

Garcin est vulnérable comme chacun dans son cas, dans cette situation.

7) L'enfer

Il s'agit d'un milieu infernal à deux points de vue :

- inaction, impossibilité de projet, absence de contact avec l'extérieur, exiguïté de l'espace surchauffé, les objets inutiles (bronze de Barbedienne, coupe-papier), la solitude de Garcin au début, absence de statut, angoisse de ne pouvoir modifier le passé ('les jeux sont faits'), pas d'espoir de sommeil et de rêve ...

Bref : la notion du temps est bouleversée dans Huis Clos. C'est un monde éternel et paradoxalement, un monde sans avenir car vide de sens, de but, d'espoir. Supprimer l'avenir, rapproche du présent, et du passé. Les personnages se morfondent d'autant plus sur leurs actes délictueux. Pas possible d'oublier en se lançant dans des projet.

Garcin (scène 1) : « Je vais vivre sans paupières ? (...) là-bas (sur la terre) il y avait les nuits. Je dormais. J'avais le sommeil douillet. Par compensation. Je me faisais faire des rêves simples. Il y avait une prairie... Une prairie, c'est tout. Je rêvais que je me promenais dedans. »

- chacun des trois est à la fois bourreau et victime des deux autres.

Inès (scène 5) : « Nous resterons jusqu'au bout ensemble. (...) Ce sont les clients qui font les services eux-mêmes, comme dans les restaurants coopératifs (...) Le bourreau, c'est chacun de nous pour les deux autres. »

Inès (scène 5) s'adressant à Garcin : « Et vous, vous êtes un piège. (...) Moi aussi, je suis un piège. (...) »

L'accès à cet univers de la mort révèle bien la personnalité des individus.

Garcin

Rapidement, il perd la maîtrise de lui-même. Il est pris de panique quand le garçon s'en va. Dans des situations extrêmes, tout homme perd ses moyens, comme Garcin.

Estelle

Quand elle arrive, elle a peur de se retrouver face à son amant défiguré. Elle est angoissée, jusque quand elle voit qu'il s'agit de quelqu'un d'autre, Garcin. Elle rie alors. Elle s'attache à des détails (couleurs des canapés), se présente, échange des mondanités. Elle est bourgeoise, hautaine, mais aussi pisseuse et méprisante envers ceux des classes sociales inférieures. Elle est habituée à vivre dans le comme si, dans le par rapport à. Et face à l'obstacle, elle n'hésite pas à recourir au meurtre : infanticide, tentative de meurtre sur Inès.

Inès

Quand elle rentre en enfer, elle ne parle pas, reste silencieuse. Puis agressive, elle pose ses questions, fait ses remarques à Garcin. Elle comprend vite cette mécanique infernale. Elle est authentique. Elle est déjà en ordre avec elle-même, avec sa vie aussi.

Inès (scène 3) : « Elle est en ordre, ma vie. Tout à fait en ordre. Elle s'est mise en ordre d'elle-même, là bas, je n'ai pas besoin de m'en préoccuper. »

8) Les Emotions

Tout le récit est marqué par les éclats d'Inès, les colères de Garcin, les rires nerveux d'Estelle. Les émotions libèrent une tension pour retrouver un équilibre personnel. Mais, par leurs émotions, ils ne font qu'augmenter la tension interne des deux autres. Mutuellement, ils entretiennent un cercle infernal. Ces émotions leur permettent de fuir le monde quand on se sent impuissant : rire permet de cacher son jeu, de détourner la conversation...

9) L'homosexualite

Inès est homosexuelle. Attirée par Estelle qu'elle s'attache à séduire.

Inès à Estelle (scène 5) : « Asseyez-vous sur mon canapé. (...) Assieds-toi. Approche-toi. Encore. Regarde dans mes yeux. (...) Tu ne veux pas qu'on se tutoie ? (...) Tu es belle. (...) J'ai ton goût, puisque tu me plais. (...) »

Inès est aussi une introvertie, ce qui peut surprendre car elle a un langage assez direct.

A Estelle, elle confie : « Moi, je me sens toujours de l'intérieur. »

En fait, cette introversion d'Inès colle bien avec son homosexualité, qui est une attirance pour le semblable. Au contraire de l'hétérosexualité qui est dirigée vers l'autre. Elle sait qu'elle ne possédera jamais Estelle, qu'elle souffrira pour cet amour qu'elle désire, elle dit d'ailleurs : « C'est toi qui me fera mal. (...) Puisqu'il faut souffrir, autant que ce soit par toi. » Car dans le fond, Inès est honteuse de son homosexualité. Elle compense d'ailleurs cette honte par la méchanceté envers ceux - comme Garcin – qui s'en prenne à sa différence. Maintes fois, elle détruit Garcin par ses paroles : « Il n'est même pas beau ! (...) Tu es lâche, Garcin, ... »

5. COMMENTAIRES – ANALYSE STYLISTIQUE DE "HUIS CLOS"

Dans Huis Clos, Sartre a utilisé un langage familier, populaire aussi.

- répétitions

Garcin (scène 5) : « Allez ! Allez ! Vous l'avez dégoûtée de lui ? »

Estelle (scène 5) : « Taisez-vous ! Taisez-vous ! »
Estelle (scène 5) : « Je suis lâche ! Je suis lâche ! (...) »
Inès (scène 5) : « Eh bien, faites-le ! Faites-le donc ! Vous ne savez (...) »

- qu'est-ce que

Garcin (scène 5) : « A toi. Qu'est-ce que tu as fait ? »
Inès (scène 5) : « Qu'est-ce qu'ils font ? »
Inès (scène 5) : « Qu'est-ce que vous dites ? »

- interjections

Inès (scène 5) : « Hein ? Hein ? Tu as rigolé ? C'est pour cela qu'il s'est tué ? »
Garcin (scène 5) : « Hum ! »
Estelle (scène 5) : « Ha ? A moi ? Eh bien, lequel de vous deux (...) »
Le Garçon (scène 1) : « Hé ? »

- familiarité

Estelle (scène 5) : « Mufle ! »
Garcin (scène 5) : « Quoi ? »
Le Garçon (scène 1) : « Quoi ? »

- simplicité

Inès (scène 5) : « Ça m'étonnerait. »
Garcin (scène 1) : « Eh bien... sur tout ça. »

- gestes et attitudes

Garcin (scène 1) : « Eh bien... (avec un geste vague et large) sur tout ça. »

Inès (début de la scène 3) : Inès regarde autour d'elle, puis elle se dirige brusquement vers Garcin.

Garcin (scène 5) : Brusquement à Inès : « Allons, pourquoi sommes-nous ensemble ? »

Bref, tout le récit est très proche du langage populaire, réel, saccadé aussi, rythmé, infernal. Et on voit des différences entre les paroles de chacun des personnages, selon son origine. Le langage est adapté à son sujet. Le spectateur est pris totalement dans le jeu du suspense. C'est bien le but de Sartre.

Dans la même collection en numérique

Les Misérables
Le messager d'Athènes
Candide
L'Etranger
Rhinocéros
Antigone
Le père Goriot
La Peste
Balzac et la petite tailleuse chinoise
Le Roi Arthur
L'Avare
Pierre et Jean
L'Homme qui a séduit le soleil
Alcools
L'Affaire Caïus
La gloire de mon père
L'Ordinatueur
Le médecin malgré lui
La rivière à l'envers - Tomek
Le Journal d'Anne Frank
Le monde perdu
Le royaume de Kensuké
Un Sac De Billes
Baby-sitter blues
Le fantôme de maître Guillemin
Trois contes
Kamo, l'agence Babel
Le Garçon en pyjama rayé
Les Contemplations

Escadrille 80
Inconnu à cette adresse
La controverse de Valladolid
Les Vilains petits canards
Une partie de campagne
Cahier d'un retour au pays natal
Dora Bruder
L'Enfant et la rivière
Moderato Cantabile
Alice au pays des merveilles
Le faucon déniché
Une vle
Chronique des Indiens Guayaki
Je voudrais que quelqu'un m'attende quelque part
La nuit de Valognes
Œdipe
Disparition Programmée
Education européenne
L'auberge rouge
L'Illiade
Le voyage de Monsieur Perrichon
Lucrèce Borgia
Paul et Virginie
Ursule Mirouët
Discours sur les fondements de l'inégalité
L'adversaire
La petite Fadette
La prochaine fois
Le blé en herbe
Le Mystère de la Chambre Jaune
Les Hauts des Hurlevent
Les perses
Mondo et autres histoires
Vingt mille lieues sous les mers
99 francs
Arria Marcella
Chante Luna

Emile, ou de l'éducation
Histoires extraordinaires
L'homme invisible
La bibliothécaire
La cicatrice
La croix des pauvres
La fille du capitaine
Le Crime de l'Orient-Express
Le Faucon malté
Le hussard sur le toit
Le Livre dont vous êtes la victime
Les cinq écus de Bretagne
No pasarán, le jeu
Quand j'avais cinq ans je m'ai tué
Si tu veux être mon amie
Tristan et Iseult
Une bouteille dans la mer de Gaza
Cent ans de solitude
Contes à l'envers
Contes et nouvelles en vers
Dalva
Jean de Florette
L'homme qui voulait être heureux
L'île mystérieuse
La Dame aux camélias
La petite sirène
La planète des singes
La Religieuse
1984 A l'Ouest rien de nouveau
Aliocha
Andromaque
Au bonheur des dames
Bel ami
Bérénice
Caligula
Cannibale
Carmen

Chronique d'une mort annoncée
Contes des frères Grimm
Cyrano de Bergerac
Des souris et des hommes
Deux ans de vacances
Dom Juan
Electre
En attendant Godot
Enfance
Eugénie Grandet
Fahrenheit 451
Fin de partie
Frankenstein
Gargantua
Germinal
Hamlet
Horace
Huis Clos
Jacques le fataliste
Jane Eyre
Knock
L'homme qui rit
La Bête humaine
La Cantatrice Chauve
La chartreuse de Parme
La cousine Bette
La Curée
La Farce de Maitre Pathelin
La ferme des animaux
La guerre de Troie n'aura pas lieu
La leçon
La Machine Infernale
La métamorphose
La mort du roi Tsongor
La nuit des temps
La nuit du renard
La Parure

La peau de chagrin
La Petite Fille de Monsieur Linh
La Photo qui tue
La Plage d'Ostende
La princesse de Clèves
La promesse de l'aube
La Vénus d'Ille
La vie devant soi
L'alchimiste
L'Amant
L'Ami retrouvé
L'appel de la forêt
L'assassin habite au 21
L'assommoir
L'attentat
L'attrape-coeurs
Le Bal
Le Barbier de Séville
Le Bourgeois Gentilhomme
Le Capitaine Fracasse
Le chat noir
Le chien des Baskerville
Le Cid
Le Colonel Chabert
Le Comte de Monte-Cristo
Le dernier jour d'un condamné
Le diable au corps
Le Grand Meaulnes
Le Grand Troupeau
Le Horla
Le jeu de l'amour et du hasard
Le Joueur d'échecs
Le Lion
Le liseur
Le malade imaginaire
Le Mariage de Figaro
Le meilleur des mondes

Le Monde comme il va
Le Parfum
Le Passeur
Le Petit Prince
Le pianiste
Le Prince
Le Roman de la momie
Le Roman de Renart
Le Rouge et le Noir
Le Soleil des Scortas
Le Tartuffe
Le vieux qui lisait des romans d'amour
L'Ecole des Femmes
L'Ecume Des Jours
Les Bonnes
Les Caprices de Marianne
Les cerfs-volants de Kaboul
Les contes de la Bécasse
Les dix petits nègres
Les femmes savantes
Les fourberies de Scapin
Les Justes
Les Lettres Persanes
Les liaisons dangereuses
Les Métamorphoses
Les Mouches
Les Trois mousquetaires
L'étrange cas du Dr Jekyll et de Mr Hyde
L'Ile Au Trésor
L'île des esclaves
L'illusion comique
L'Ingénu
L'Odyssée
L'Ombre du vent
Lorenzaccio
Madame Bovary
Manon Lescaut

Micromégas
Mon ami Frédéric
Mon bel oranger
Nana
Ne tirez pas sur l'oiseau moqueur
Notre-Dame de Paris
Oliver twist
On ne badine pas avec l'amour
Oscar et la dame rose
Pantagruel
Le Misanthrope
Perceval ou le conte du Graal
Phèdre
Ravage
Roméo et Juliette
Ruy Blas
Sa Majesté des Mouches
Si c'est un homme
Stupeur et tremblements
Supplément au voyage de Bougainville
Tanguy
Thérèse Desqueyroux
Thérèse Raquin
Ubu Roi
Un Barrage contre le Pacifique
Un long dimanche de fiançailles
Un secret
Vendredi ou la vie sauvage
Vipère au poing
Voyage au bout de la nuit
Voyage au centre de la terre
Yvain ou le Chevalier au lion
Zadig

À propos de la collection

La série FichesdeLecture.com offre des contenus éducatifs aux étudiants et aux professeurs tels que : des résumés, des analyses littéraires, des questionnaires et des commentaires sur la littérature moderne et classique. Nos documents sont prévus comme des compléments à la lecture des oeuvres originales et aide les étudiants à comprendre la littérature.

Fondé en 2001, notre site FichesdeLectures.com s'est développé très rapidement et propose désormais plus de 2500 documents directement téléchargeables en ligne, devenant ainsi le premier site d'analyses littéraires en ligne de langue française.

FichesdeLecture est partenaire du Ministère de l'Education du Luxembourg depuis 2009.

Plus d'informations sur www.fichesdelecture.com

www.fichesdelecture.com

ISBN: 978-2-511-02823-0

Notes :

Made in the USA
Lexington, KY
21 January 2016